Cynnwys

Straeon y Fferm

Gill Davies

Lluniau gan Angelika Scudamore

addasiad

Rhiannon a Dewi Pws

Cyhoeddwyd yn gyntaf gan
Brown Watson, © 2016 Brown Watson

Argraffiad Cymraeg cyntaf: 2017

Dylunio'r testun Cymraeg: Eleri Owen

Cyhoeddwyd gyda chymorth Cyngor Llyfrau Cymru.

Cyhoeddwyd gan Wasg Carreg Gwalch, Llanrwst
www.carreg-gwalch.com

Twm Tractor

Tractor bach coch ydi Twm Tractor ac mae wrth ei fodd yn helpu ei ffrind Edwin, y tractor mawr glas.

Pan fydd Edwin druan wedi blino a syrffedu, bydd Twm Tractor yn codi ei galon yn syth. Mae'n gwneud i Edwin chwerthin pan fydd yn drist, a phan fydd un o'i olwynion yn fflat, Twm bach sy'n rhuthro i nôl yr olwyn sbâr.

Un diwrnod, wrth fynd heibio'r cwt ieir, sibrydodd Twm,
"Edwin, hoffet ti glywed cyfrinach? Mae'r ieir i gyd wedi diflannu!"
"O na!" atebodd Edwin.
"Ond, dwi'n gwybod ble maen nhw!" chwarddodd Twm.
"Maen nhw'n cuddio'n gysurus o dan y gwair sydd yn y bwced ar dy gefn!"
"Ti'n siŵr?" holodd Edwin, gan drio edrych dros ei olwyn ôl i mewn i'r bwced.
"Bydd rhaid i ni fynd â nhw adre'n syth!"

Roedd Bleddyn, fferm Gwern Goch, wrth ei fodd yn gweld yr ieir yn eu holau. “Roedd yr hen gwt ieir yn y cae yn flêr ac felly dwi wedi adeiladu un newydd sbon yma ar y buarth.” “Dewch, ferched,” meddai Bleddyn Gwern Goch, gan hebrwng yr ieir a’u cywion i’r cwt newydd. “Dewch mlaen, Llinos a Lowri.” Ar ôl iddynt setlo, trodd Bleddyn Gwern Goch at Twm ac Edwin. “Wel bois, diolch yn fawr i chi am eich gwaith da heddiw yn dod â’r ieir yn ôl – rydych chi’n haeddu cael diwrnod i’r brenin!” Gwenodd Twm ac Edwin ar ei gilydd, a gyda “Brwm, brwm, brwm” a “Ffwt, ffwt, ffwt” diflannodd y ddau i fyny’r bryn i aredig yn yr haul.

Mirsi'r Fuwch

Roedd Mirsi'r fuwch wrth ei bodd yn gwrando ar gerddoriaeth. Fe fyddai'n ysgwyd ei phen yn ôl a mlaen nes bod y gloch o dan ei gwddw yn tincian yn braf. Yna fe fyddai'n brefu'n dawel "Mwwwwww, mwwwwwwww!" gan siglo a thapio'i charnau ar y borfa i guriad y caneuon.

Gyda'r nos, un o'i hoff bethau oedd trotian ar draws y buarth, a sbecian drwy ffenest y ffermdy i weld y sêr yn perfformio ar y teledu.

"Hoffwn i fod yn seren fel yna," ochneidiodd Mirsi.

Un diwrnod, daeth Bleddyn Gwern Goch a'i radio i'r beudy. Roedd Mirsi wrth ei bodd. Bu'n dawnsio a chanu drwy'r dydd, a'r llygod bach yn gwrando'n astud ac yn curo'u traed wrth iddi berfformio.

"Mae gen i syniad!" cyhoeddodd, a'i llygaid yn disgleirio. "Yfory dwi am gynnal cyngerdd mawreddog!"

Drannoeth, fe ddaeth yr holl anifeiliaid at ei gilydd ar y buarth. “Mwwww, Mwwww,” canodd Mirsi, a phawb yn curo pawennau, curo carnau a chwibanu wrth iddynt fwynhau’r canu swynol. “Eich tro chi nawr!” cyhoeddodd Mirsi. “Meeee, meeee!” adroddodd y defaid. “Phwhwhwhw!” gweryrodd y ceffylau gan gamu’n fras o amgylch y buarth. “Coc-a-dwdl-dw!” canodd y ceiliog, a “Wiii, wiiii, wiiiii!” gwichiodd y llygod. Ar ddiwedd y cyngerdd, wrth iddi drotian yn flinedig yn ôl i’r beudy, cyhoeddodd Mirsi, “Dyna’r diwrnod gorau erioed!”

Tanwen y Twrci Bach Swil

Mae ofn sŵn ar Tanwen y twrci bach swil. Bydd yn rhedeg i guddio pan fydd y gwartheg yn brefu'n uchel neu injan y tractor yn cael ei thanio. Yn y farchnad leol y daeth Euron Tyddyn Beili o hyd i Tanwen.

Roedd hi'n cuddio o dan ei stondin ffrwythau er mwyn dianc rhag sŵn y dorf a'r gweiddi. Ar ddiwedd diwrnod y farchnad, gan nad oedd neb wedi hawlio Tanwen, fe benderfynodd Euron Tyddyn Beili fynd â hi adref gyda fe i'r fferm.

Ar ôl ychydig o amser, daeth Tanwen yn fwy hyderus, gan ddod yn ffrindiau gyda'r anifeiliaid eraill. Dechreuodd deimlo'n hapus ac roedd wrth ei bodd yn byw ar y fferm gyda'i chyfeillion newydd. "Tanwen," holodd Euron Tyddyn Beili un bore, "wyt ti am ddod gyda fi i'r farchnad eto?" "Na, dim diolch!" atebodd Tanwen yn ofnus. "Dwi'n hapus a chysurus yma ar y fferm!"
"Twt lol!" meddai Euron Tyddyn Beili gan godi Tanwen dan ei fraich.
"Mi wnei di fwynhau!" Ac i ffwrdd â nhw i'r farchnad ar gefn y lorri gludo.

Y bore trannoeth, sylwodd yr anifeiliaid fod Tanwen yn dangos ei hun gan wisgo rhuban fawr biws ar ei brest. “Sut? Beth? Pam?” holodd yr anifeiliaid.

“Rhuban am ddewrder,” broliodd Euron Tyddyn Beili.

“Dewrder??” holodd yr anifeiliaid, wedi eu syfrdanu. “Pan es i i gael tamaid o ginio, mi adewais Tanwen yn gwarchod y stondin. Daeth cwpwl o fechgyn drwg heibio a thrio dwyn y ffrwythau – ond fe sgrechiodd Tanwen arnyn nhw a phigo’u traed a fflapio’i hadenydd, gan ddychryn y dihirod a’u gyrru i ffwrdd. Da iawn ti, Tanwen!” “Gobl, gobl, gobl,” ebychodd Tanwen gan wenu’n braf, a’r anifeiliaid eraill yn ei llongyfarch.

Gwaith Sychedig

Ffiw! Mae'n ddiwrnod poeth o haf. Er mwyn cadw'n oer, mae anifeiliaid fferm y Wern i gyd yn gorwedd yng nghysgod y coed. Mae plant y fferm yn yfed digon o lefrith a sudd oren, ac mae Mrs Jôs, gwraig fferm y Wern, yn hapus yn yfed te. Glasiad mawr o seidr sych sydd yn llaw ei gŵr, Jôs y Wern, ac mae'r cathod a'r cŵn yn brysur yn llepian dŵr. Yn y cyfamser, mae Gwil y tractor yn segura'n braf yn y sgubor oer, gyda llond ei danciau o ddisel a dŵr yn barod i gadw ei injan i redeg yn esmwyth.

"Helo, Gwil," meddai Jôs y Wern, gan agor drysau mawr y sgubor a llenwi'r lle â haul llachar. "Heddiw, 'dan ni am fynd ar daith arbennig!" A neidiodd ar gefn y tractor. Wrth deithio trwy'r wlad, sylwodd Gwil fod y gwrychoedd wedi blodeuo, a'r gwenyn yn sipian neithdar yn barod i greu mêl. Roedd y blodau yn eu holl ogoniant yn aros yn eiddgar i gael blasu gwlith y bore. Ar ôl taith fer, gyrrodd Jôs y Wern drwy'r adwy i'r berllan.

Yn y berllan roedd y ffermwyr eraill a'u tractorau yn brysur yn hel afalau a gellyg. "Mi fydd y ffrwythau yma'n flasus i'w bwyta," meddai Jôs y Wern. "Maen nhw'n llawn sudd – digon i wneud diod i'r plant – a seidar i minnau!" meddai, gan wenu fel giât. Ar ôl diwrnod hir, poeth o waith, roedd y ffrwythau i gyd wedi'u casglu a'r bwcedi'n llawn. Trodd yr awyr yn binc wrth i'r haul fachlud, a phylodd y gwres tanbaid. Roedd yn bryd i Gwil y tractor a Jôs y Wern ffarwelio â'r ffrindiau ac ymlwybro'n flinedig yn ôl i'r Wern drwy'r lonydd tawel – a chyrraedd adre i fwynhau glasiad o ddiod oer.

Dydi Ieir Ddim yn Hedfan

Roedd Cadi'r cyw yn belen fach ddel o blu melyn, a bron â thorri ei bol eisiau hedfan. Bob bore, fe fyddai'n edrych ar yr adar gwyllt yn glanio ar y ffens dan ganu a switian. "O! Mi hoffwn i hedfan i'r awyr fel rhain," meddai Cadi gan edrych ar yr adar yn drist. "Does dim angen i ni hedfan," meddai Mam wrthi. "Mae pob dim 'dan ni'r ieir ei angen yma ar y buarth ac yn y cwt."

“Hoffet ti hedfan?” gofynnodd Cadi i Nel y ci defaid.
“Na, mae’n well gen i gadw fy mhawennau ar y ddaear – ond mi fedra i redeg fel y gwynt. Tyrd i ti gael gweld!” meddai Nel. Dringodd Cadi ar ben Nel a daliodd yn dynn. “Awê!” gwaeddodd Nel ac i ffwrdd â nhw. Neidiodd Nel dros y wal, drwy ganol y cae oedd yn llawn defaid ac i’r cae lle roedd Breian y bwgan brain yn gwarchod yr ŷd. Rhedodd Nel mewn cylch o gwmpas Breian ac yna saethu’n ôl i’r buarth gyda Cadi’n dal i afael yn dynn ac yn trydar yn uchel gan chwerthin.

"Hoffet ti hedfan?" gofynnodd Cadi i Greta'r gaseg
"Na!" gweryrodd Greta, "ond mi fedra i garlamu'n gyflym."
Unwaith eto, dringodd Cadi'n uchel ar ben Greta gan afal yn dynn
ym mlew hir ei mwng. Carlamodd Greta draw i'r goedwig
gan ddychryn teulu o gwningod oedd yn pori ger y dderwen fawr.
"Mae hyn cystal â hedfan," gwenodd Cadi.
"Gawn ni garlamu bob dydd, os gweli di'n dda?"
"Wrth gwrs!" atebodd Greta. "Mi rydw innau wrth fy modd yn carlamu hefyd!"

Y Storm

Roedd Meurig y mul a Blewyn y gath yn ffrindiau bore oes ac yn chwarae'n ddel gyda'i gilydd bob amser. Ond roedd Hariet yr hwyaden yn ddigywilydd, ac yn cwacia gorchmynion at bawb. Un diwrnod poeth, trymaidd o haf, roedd Meurig a Blewyn yn chwarae'n dawel, ond yn sychedig, a'u tafodau bach pinc yn hongian o'u cegau Wrth i Hariet setlo i gysgu yng nghysgod y goeden, gorchmynnodd,

"Ewch i nôl fy het haul! NAWR! Brysiwch!"

Edrychodd y ddau ffrind ar ei gilydd, troi ac ymlwybro'n araf tua'r buarth.

Siwrne bell oedd hi yn ôl i’r fferm. Roedd rhaid mynd trwy gae llawn pilipalod, ar hyd y llwybr troed ac ar draws y bont bren. Cyn croesi’r bont, arhosodd y ddau ar lan yr afon, lle roedd y cerrig yn slic, i gael diod oer o ddŵr, yna dilyn y llwybr yn ôl i’r buarth i gasglu’r het haul.

Yn sydyn, cododd storm enfawr, ac aeth y ddau i gysgodi yn y sgubor.

Druan o Hariet! Roedd hi ar ei phen ei hun yn swatio rhag y storm yng nghysgod y goeden. Rhuodd y taranau a fflachiodd y mellt a chrynodd coesau Hariet mewn ofn. “O na!” cwaciodd yn grynedig. “Mae’r storm wedi dod i ddysgu gwers i mi beidio â bod mor hunanol a digywilydd. Dwi am drio bod yn glên a charedig wrth bawb o hyn ymlaen.”

Ar ôl diwrnod y storm fawr fe ddaeth Hariet, Blewyn a Meurig yn ffrindiau pennaf ac roedd y tri wrth eu bodd yn chwarae’n hapus ar lan y nant yn gwylio’r llyffantod lliwgar.

A Oes ar Rywun Ofn Breian?

"Dwyt ti ddim yn ein dychryn ni o gwbwl!" crawciodd y brain swnllyd a'r adar bach eraill wrth ddringo dros freichiau Breian y bwgan brain.

"Cogiwch fod arnoch chi ofn," meddai Breian, "neu bydd Jôs y Wern yn gwylltio, a'm rhoi i'n ôl yn y sied dywyll. Mae'n llawer iawn gwell gen i fod yn sefyll fan hyn yr awyr agored!"

"O'r gorau," atebodd yr adar, gan gogio bod ofn Breian arnynt, a hedfan i ffwrdd.

"Da iawn ti, Breian!" meddai Jôs y Wern wrth yrru heibio ar ei dractor.
"Mi wyt ti wedi dychryn y brain i gyd i ffwrdd. Gwaith da!"
Gwenodd Breian gan deimlo'n falch, ond ar ôl sbel o amser ar ei ben ei hun, dechreuodd deimlo'n unig. Doedd yno neb i gynnal sgwrs, gan fod yr adar i gyd wedi diflannu. Cyn bo hir, daeth gwenynen a philipala draw i ddweud helô.
"Os gwelwch yn dda – gofynnwch i'ch ffrindiau eraill ddod draw i 'ngweld i," meddai Breian.

“Y drafferth o fod yn fwgan brain ydi fy mod i’n methu crwydro ac yn gorfod sefyll yn yr unfan,” cwynodd Breian. “Dwi’n glwm wrth y polyn yma ac yn gorfod aros i bobol alw heibio!”

Toc, daeth y wenynen a’r pilipala yn ôl gyda’u ffrindiau. Daeth llond cae o lygod yr ŷd a theulu mawr o gwningod gwyllt. Yn ystod y nos daeth tylluan gorniog heibio am sgwrs wybodus. A bellach, dydi Breian y bwgan brain byth yn unig oherwydd bod ei ffrindiau newydd, yr anifeiliaid bach gwyllt, yn trefnu galw heibio rhag ofn iddo fod ar ei ben ei hun.

Camgymeriad Oli'r Oen

Roedd yn ddiwrnod poeth, braf o haf. Roedd yr awyr yn las fel clychau'r gog. Roedd yr ŷd melyn wedi tyfu'n uchel a blodau'r pabi coch yn addurno'r ddôl. Roedd y tywydd yn rhy boeth i chwarae, felly doedd dim byd i'w wneud. "Dwi'n gwybod," meddai Oli'r oen. "Mi wna i drio dal fy ffrind y pilipala." Neidiodd ar ôl y pilipala gan ymestyn ei goesau, ond roedd y pilipala'n hedfan yn rhy gyflym ac yn igam-ogamu rhwng coesau'r ŷd.

Yna, yn sydyn, gwelodd Oli rywbeth brown blewog yn hongian yng nghanol yr ŷd. Neidiodd mor uchel ag y gallai a dal y creadur blewog yn ei geg. "Oooiii!" gweryrodd Caradog y ceffyl gwedd, gan droi'n sydyn. "Fy nghynffon i ydi honna!" "Wwwps, sori!" ymddiheurodd Oli, gan ollwng y gynffon. "Mi o'n i'n meddwl mai Siani Flewog oedd yno!" "Ha, ha, ha! Tydi fy nghynffon i'n ddim byd tebyg i Siani Flewog! Ha, ha, ha!" chwarddodd Caradog.

Daeth mam Oli draw i weld beth oedd yr holl sŵn. “Mae’n ddrwg gen i, Caradog. Gobeithio nad ydi ein Oli bach ni ddim wedi’ch brifo chi?” “Ddim o gwbwl,” atebodd Caradog, a gyda fflic ar ei gynffon trodd yn ôl i bori yn y cae. Arweiniodd mam Oli yn ôl i’r cae lle roedd y defaid eraill yn pori. Ar ôl yr holl gynnwrf o geisio dal y pilipala, a siglo ar gynffon Caradog, roedd Oli wedi blino’n lân. Caeodd ei lygaid dan yr haul poeth, a breuddwydio am drio dal y cymylau bach, gwlanog oedd yn hedfan uwchben.

Pen-blwydd Hapus Tesni

Mae'n ben-blwydd ar Tesni'r tractor heddiw, ond mae hi'n dal i gysgu'n drwm yn y beudy. Mae hi'n bwrw glaw yn ofnadwy y tu allan, a'r diferion glaw'n pitran-patran ar y to sinc. Mae sŵn y glaw'n deffro Lleucu Llygoden a'i ffrindiau.

"Dewch, codwch!" gwichiodd Lleucu. "Mae'n rhaid i ni godi i lapio anrhegion pen-blwydd Tesni cyn iddi ddeffro!"

"Ond does ganddon ni ddim anrheg iddi!" meddai Mal.

“Ti’n iawn!” atebodd Lleucu. “Rhaid i ni feddwl yn galed am anrheg!”

Ar ôl i’r glaw ostegu a’r haul ddod allan i wenu, roedd Tesni’n dal i chwyrnu’n braf. “Gawn ni fynd allan i’r buarth i chwilio am rywbeth yn anrheg?” cynigiodd Mal, a neidiodd y llygod i lawr o ben y tractor ac allan i’r buarth.

Y tu allan, yng nghanol y buarth, roedd pwll ENFAWR o ddŵr glaw wedi cronni.

“Mae Tesni wrth ei bodd gyda phyllau o ddŵr!” gwaeddodd Lleucu.

Rhedodd y llygod yn ôl i'r beudy. Erbyn hyn, roedd Tesni wedi deffro.
"Pen-blwydd hapus i ti, pen-blwydd hapus i ti," canodd y llygod.
"Tyrd, brysia, dilyn ni – mae ganddon ni rywbeth arbennig i'w ddangos i ti!"
meddai Lleucu, gan arwain y ffordd. Dilynodd Tesni y llygod i ganol y buarth.
Agorodd ei llygaid yn fawr wrth weld y pwll!
"O dyma hwyl!" gwaeddodd, a rhuthrodd i mewn i'r pwll gan dasgu dŵr
o amgylch y buarth a gwlychu'r llygod gan wneud iddynt wichian.
"Diolch, diolch yn FAWR i chi i gyd am yr anrheg ORAU ERIOED!" meddai,
a throi rownd a rownd yn y dŵr gan chwerthin yn hapus.

Breuddwyd Huwcyn

Mae Huwcyn yn fach. Fo ydi'r hwyaden leiaf yn y pwll hwyaid. Yn ystod y nos, mae'n breuddwydio mai ef yw'r hwyaden fwyaf yn y bydysawd. Mae'n breuddwydio ei fod mor hir â deinosor, mor dal â chawr ac mor gryf â thractor Jôs y Wern. Yn sydyn, "Crawc!" chwyrnodd Bili'r broga yn uchel wrth iddo gysgu ar ddeilen lili. Deffrodd Huwcyn o'i gwsg a sylwi mai breuddwyd oedd y cwbwl ac mai dim ond hwyaden fechan yn byw ar y pwll hwyaid oedd o wedi'r cyfan.

Yn sŵn y dŵr yn siglo'n ôl a mlaen, unwaith eto, mae Huwcyn yn disgyn yn ôl i gysgu. Y tro hwn mae'n breuddwydio ei fod yn fach, fach, fach – yn llai na blodyn llygad y dydd, yn llai na philipala, hyd yn oed yn llai na gwenynen!

"Ccrrawwcc!" chwyrnodd Bili eto gan ddeffro Huwcyn o'i gwsg.

"Falle nad ydw i mor fach â hynny! Dwi'n fwy na gwenynen, pilipala a llygad y dydd – dwi hyd yn oed yn fwy na Bili Broga gyda'i chwyrnu uchel!"

Erbyn y bore roedd yr haul wedi codi'n uchel i'r awyr.
"Bore da!" meddai Mam wrth Huwcyn. "Gysgest ti'n dda?"
"Mi wnes i freuddwydio fy mod i'n fawr, fawr, fawr fel cawr,
ac wedyn yn fach, fach, fach fel gwenynen!"
"Mi wyt ti'n berffaith fel rwyt ti," meddai Mam gan roi sws ar ei ben.
"Paid â thrio newid. Mi wnei di dyfu'n fwy bob dydd,
a chyn hir mi fyddi di'n fwy na fi," meddai.
"Oooo, WAW!" chwarddodd Huwcyn, gan gwtsio'i fam
ac edrych i fyny arni'n gariadus.